D0504977

Direction éditoriale : **Véronique de Finance-Cordonnier**
Édition : **Julie Tallet, assistée de Véronique Jean**
Direction artistique : **Emmanuel Chaspoul**
Mise en page : **Madras Édit**
Couverture : **Véronique Laporte**
Fabrication : **Annie Botrel**

ISBN 978-2-03-585209-0

Les Éditions Larousse utilisent des papiers composés de fibres naturelles, renouvelables, recyclables et fabriquées à partir de bois issus de forêts qui adoptent un système d'aménagement durable. En outre, les Éditions Larousse attendent de leurs fournisseurs de papier qu'ils s'inscrivent dans une démarche de certification environnementale reconnue.

LES MINI LAROUSSE

Verrines

& cuillères pour l'apéritif

21 rue du Montparnasse 75283 Paris Cedex 06

Sommaire

Tomate mimosa et brochette de speck

POUR 6 VERRINES

PRÉPARATION : 15 min

1 petit concombre • 6 gressins • 6 fines tranches de speck
Pour la crème de tomate : 2 gousses d'ail • 1 oignon doux • 6 tomates en branche • 5 cl de vinaigre de xérès • 2 pincées d'origan • 8 c. à soupe d'huile d'olive
Pour les œufs mimosa : 2 œufs durs

1. Préparez la crème de tomate. Épluchez les gousses d'ail et l'oignon puis émincez-les. Pratiquez une incision en croix sur le dessus des tomates. Dans une casserole d'eau bouillante, plongez les tomates 20 secondes. Après refroidissement, pelez-les puis épépinez-les et coupez-les en morceaux. Dans le bol du mixeur, déposez les tomates coupées, l'oignon et l'ail émincés, le vinaigre de xérès et l'origan, puis mixez en versant l'huile au fur et à mesure pour obtenir une crème onctueuse.
2. Préparez les œufs mimosa. Retirez la coquille des œufs durs et écrasez ceux-ci à la fourchette.
3. Pelez le concombre, coupez-le en fines tranches dans le sens de la longueur, puis coupez les tranches en petits dés.
4. Dans le fond de chaque verrine, déposez les œufs, ajoutez la crème de tomate et répartissez les dés de concombre. Ajoutez un gressin enveloppé d'une tranche de speck.

Gaspacho vert aux écrevisses

POUR 12 VERRINES

PRÉPARATION : 15 min

2 oignons nouveaux • 600 g de concombre • 300 g de fenouil • 6 c. à soupe d'huile d'olive • 3 c. à soupe de vinaigre de Xérès • 200 g d'écrevisses décortiquées • sel et poivre

1. Prélevez un tronçon de 6 cm de long dans la partie verte de chaque oignon nouveau, détaillez-les en fins bâtonnets, puis placez-les dans un bol d'eau froide au réfrigérateur.
2. Lavez et essuyez le concombre et le fenouil. Coupez-les en morceaux ainsi que le reste des oignons. Égouttez les bâtonnets d'oignon et réservez.
3. Dans un blender, réunissez le concombre, le fenouil et les morceaux d'oignon avec 30 cl d'eau, l'huile d'olive et le vinaigre, puis mixez le tout. Salez et poivrez selon votre goût.
4. Répartissez la préparation dans les verrines et disposez les écrevisses. Décorez avec les bâtonnets d'oignon, puis servez.

Crème de betterave au yaourt

POUR 12 VERRINES

PRÉPARATION : 15 min

550 g de betteraves cuites • 4 yaourts à la grecque • 2 c.à café d'huile de noisette • 20 g de noisettes concassées • 1 c. à soupe d'huile d'olive • 3 c. à soupe de crème fraîche épaisse • sel et poivre

1. Coupez 500 g de betterave en morceaux, puis mettez-les dans le bol d'un robot avec les yaourts et l'huile de noisette, puis mixez le tout. Salez, poivrez et mixez à nouveau jusqu'à obtention d'une préparation bien lisse.
2. Détaillez le reste des betteraves en dés de 1 cm de côté, mélangez-les dans un bol avec les noisettes concassées et l'huile d'olive, puis salez et poivrez.
3. Répartissez la crème de betterave dans des verrines, puis déposez un peu de crème fraîche. Parsemez le tout de noisettes et de dés de betterave, donnez un tour de moulin à poivre et réservez au frais jusqu'au moment de servir.

Mousse à la carotte et bâtonnets au cumin

POUR 6 VERRINES ET 20 BÂTONNETS

PRÉPARATION : 25 min • **RÉFRIGÉRATION :** 2 h • **CUISSON :** 10 min

Pour la mousse : 10 g de beurre • 100 g de purée de carotte surgelée • 12 cl de bouillon • 5 cl de crème liquide • sel et poivre
Pour les bâtonnets : 150 g de farine tamisée • 10 g de graines de cumin • 100 g de beurre mou en petits morceaux • 1 œuf battu

1. Préparez la mousse. Dans une poêle, faites fondre le beurre et laissez décongeler la purée de carotte 5 min à feu doux ; salez et poivrez. Laissez refroidir. Mixez la purée avec le bouillon et passez ce mélange dans une passoire fine en appuyant bien sur les parois. Incorporez la crème liquide très froide. Versez dans un siphon, vissez 1 cartouche de gaz et secouez vivement. Mettez 1 ou 2 h au frais.
2. Préparez les bâtonnets. Assemblez la farine avec 1 pincée de sel, le cumin et le beurre en effritant le mélange. Versez 5 cl d'eau, puis travaillez la pâte pour qu'elle soit bien souple. Étalez-la en la repoussant avec la paume de la main puis rassemblez-la. Couvrez et mettez 30 min au frais.
3. Préchauffez le four à 240 °C (th. 8). Étalez la pâte sur 5 mm et déposez des bâtonnets de 8 cm de long sur une plaque tapissée de papier sulfurisé. Badigeonnez-les d'œuf et faites-les cuire 10 min. Laissez refroidir. Secouez le siphon et servez la mousse dans des verrines avec les bâtonnets.

Petits choux au saumon

POUR 20 PETITS CHOUX

PRÉPARATION : 30 min • **CUISSON** : 30 min

300 g de pavé de saumon • 6 c. à soupe de crème fraîche épaisse • le jus de 2 citrons • 2 c. à soupe de vinaigre de Xérès • 20 brins de ciboulette environ • sel et poivre
Pour la pâte à choux : 1,5 g de sel • 3 g de sucre • 30 g de beurre • 60 g de farine tamisée • 2 œufs battus

1. Préchauffez le four à 220 °C (th. 7-8). Préparez la pâte à choux. Dans une casserole, faites bouillir 10 cl d'eau avec le sel, le sucre et le beurre, puis versez la farine en une seule fois en remuant vivement avec une spatule en bois. Faites dessécher la pâte 2 min en la remuant toujours. Puis, hors du feu, incorporez les œufs un par un jusqu'à ce que la pâte ait tout absorbé. La pâte doit être lisse et brillante et se détacher des parois de la casserole.
2. Avec des cuillères, formez des choux sur une plaque couverte de papier sulfurisé. Enfournez 15 min à 220 °C puis 15 min à 200 °C (th. 6-7) jusqu'à ce que les choux soient dorés et légers. Laissez-les refroidir avant de les garnir.
3. Détaillez le saumon en dés de 1/2 cm de côté. Dans un saladier, mélangez-les avec la crème, le jus de citron et la ciboulette ciselée. Salez peu, poivrez et ajoutez le vinaigre.
4. Coupez les choux refroidis en deux et garnissez-les délicatement de la préparation. Mettez au frais jusqu'au moment de servir.

Tartare de tomates au brocciu et au miel

POUR 12 VERRINES

PRÉPARATION : 20 min

6 tomates roma • 3 c. à soupe d'huile d'olive + pour servir • 400 g de brocciu ou de brousse • 3 c. à soupe de miel • 1 barquette de germes de poireau • sel et poivre

1. Portez à ébullition une grande casserole d'eau salée. Entaillez en croix la base des tomates, puis plongez-les dans l'eau bouillante 1 min. Égouttez-les, passez-les sous l'eau froide, puis pelez-les, épépinez-les et détaillez-les en dés de 1 cm de côté.
2. Dans un bol, mélangez les tomates avec l'huile d'olive, salez, poivrez, puis réservez.
3. Dans chaque verrine, déposez 2 c. à soupe bombées de brocciu ou de brousse, arrosez d'un filet d'huile d'olive, puis versez un peu de miel. Salez, poivrez et recouvrez le fromage de tartare de tomate. Si nécessaire, rectifiez l'assaisonnement. Disposez 1 pincée de germes de poireaux et servez.

Morue à la tapenade et au fenouil

POUR 6 VERRINES

PRÉPARATION : 15 min • **CUISSON :** 20 min

4 c. à soupe de tapenade • quelques brins d'aneth
Pour la fondue de fenouil : 1 bulbe de fenouil • 2 échalotes • 1 gousse d'ail • 1 c. à soupe d'huile d'olive • poivre
Pour la morue : 2 pommes de terre (bintje) • 400 g de brandade de morue prête à l'emploi

1. Préparez la fondue de fenouil. Lavez le fenouil, coupez-le en tranches fines puis découpez-le en petits dés. Épluchez les échalotes et l'ail puis émincez-les. Dans une poêle, versez l'huile d'olive, ajoutez les échalotes et l'ail émincés, laissez-les fondre puis incorporez le fenouil et poivrez. Laissez bien compoter pendant 20 min.
2. Pendant ce temps, faites cuire à l'eau les pommes de terre avec leur peau, pendant 20 min environ, puis épluchez-les et mélangez-les à la brandade de morue. Réservez.
3. Dressez les verrines. Déposez au fond de chacune une couche de fondue de fenouil (gardez-en pour le décor) suivie d'une couche de tapenade. Ajoutez la brandade de morue à la pomme de terre, ajoutez par-dessus un peu de fenouil. Décorez de brins d'aneth.

Crumble de haddock aux noisettes

POUR 12 CUILLÈRES

PRÉPARATION : 15 min • **CUISSON :** 20 min

50 cl de lait • 150 g de haddock • 10 cl de crème liquide • 30 g de noisettes concassées
Pour le crumble : 15 g de noisettes en poudre • 40 g de farine • 15 g de parmesan râpé • 35 g de beurre salé coupé en morceaux • sel et poivre

1. Préchauffez le four à 180 °C (th. 6). Préparez le crumble. Dans un saladier, mélangez les noisettes en poudre et la farine. Salez, poivrez et ajoutez le parmesan. Incorporez le beurre salé en morceaux, puis travaillez la pâte du bout des doigts jusqu'à obtention d'un mélange sableux. Placez-le dans un plat allant au four et enfournez pour 20 min, jusqu'à ce que le crumble soit bien doré.
2. Pendant ce temps, dans une casserole, versez le lait et portez doucement à ébullition. Réduisez le feu et faites pocher le haddock pendant 15 min. Détaillez le poisson en pétales, puis répartissez ceux-ci dans des cuillères. Arrosez de crème liquide, parsemez de noisettes concassées, puis répartissez le crumble sur le poisson. Servez aussitôt.

Crème de betterave et chèvre

POUR 6 VERRINES

PRÉPARATION : 20 min **CUISSON :** 2 ou 3 min

50 g d'olives noires • 1 c. à café d'herbes de Provence • 1 betterave crue • 1 c. à soupe de graines de sésame
Pour la crème de betterave : 1 betterave cuite • 2 c. à soupe d'huile d'olive • 1 c. à café de cumin
Pour la mousse de chèvre : 100 g de fromage de chèvre frais • 2 blancs d'œufs très frais • sel et poivre

1. Préparez la crème de betterave. Pelez la betterave et coupez-la en cubes. Mixez-les avec l'huile d'olive et le cumin.
2. Préparez la mousse de chèvre. Mixez le fromage frais avec du poivre. Montez les blancs en neige avec une pincée de sel et incorporez-les délicatement au fromage frais en soulevant la masse avec une spatule.
3. Dénoyautez les olives noires, hachez-les finement puis ajoutez les herbes de Provence et mélangez. Épluchez la betterave crue et râpez-la. Dans une poêle chaude, faites griller à sec les graines de sésame pendant 2 ou 3 min.
4. Dressez les verrines. Déposez de la crème de betterave au fond de chaque verrine. Pour ajouter la mousse de chèvre, utilisez une poche à douille simple. Répartissez les olives concassées et terminez par les betteraves râpées. Parsemez de graines de sésame grillées.

Œufs cocotte et mousse à l'asperge

POUR 4 VERRINES

PRÉPARATION : 20 min • **CUISSON** : 13 à 16 min • **RÉFRIGÉRATION** : 2 ou 3 h

4 c. à soupe de crème fraîche épaisse • 30 g de beurre mou • 4 œufs • 2 ou 3 brins de persil ciselés • sel et poivre
Pour la mousse : 1 feuille de gélatine • 1/2 échalote • 100 g d'asperges vertes surgelées • 1 c. à soupe de mayonnaise

1. Préparez la mousse. Plongez la gélatine dans de l'eau froide. Pelez l'échalote. Faites cuire les asperges et l'échalote 7 ou 8 min à l'eau bouillante salée. Égouttez-les en gardant un peu d'eau de cuisson et laissez-les refroidir. Mixez-les avec la mayonnaise, 5 ou 6 c. à soupe d'eau de cuisson et du sel. Passez la préparation dans une passoire fine pour avoir environ 18 cl de coulis. Chauffez-en 3 c. à soupe dans une casserole, ajoutez la gélatine essorée et remuez. Incorporez ce mélange dans le coulis restant. Versez la préparation dans un siphon, vissez 1 cartouche de gaz et secouez vigoureusement. Mettez 2 ou 3 h au frais.
2. Mettez 2 c. à café de crème dans quatre ramequins beurrés. Cassez 1 œuf dans chaque, salez et poivrez. Ajoutez le reste de crème. Faites cuire dans un bain-marie frémissant de 6 à 8 min. Secouez le siphon et déposez la mousse dans chaque ramequin, parsemez de persil.

Velouté de potimarron au lait de coco

POUR 6 VERRINES

PRÉPARATION : 30 min • **CUISSON :** 30 min

Pour le velouté : 800 g de potimarron • 1 oignon émincé • 1 c. à soupe d'huile d'olive • 50 cl de bouillon • 20 cl de lait de coco
Pour les brochettes : 1 c. à soupe d'huile d'olive • 6 grosses crevettes décortiquées • 1 gousse d'ail hachée • 1 c. à soupe de miel • 1 c. à soupe de vinaigre de cidre • le jus de 1/2 citron vert • 1/2 botte de ciboulette

1. Préparez le velouté. Pelez le potimarron, épépinez-le, ôtez tous les filaments et coupez-le en gros morceaux. Dans une cocotte, faites dorer l'oignon émincé avec l'huile d'olive, versez le bouillon, ajoutez le lait de coco, les cubes de potimarron et laissez cuire à couvert 30 min.
2. Pendant ce temps, préparez les brochettes. Dans une poêle, faites revenir avec l'huile d'olive les crevettes et l'ail pendant 5 min. Ajoutez le miel, puis incorporez le vinaigre et le jus de citron vert afin de dissoudre les sucs ; laissez réduire jusqu'à obtenir la consistance d'une sauce. Enfilez chaque crevette sur une petite brochette en bois. Dans une assiette, ciselez la ciboulette ; mettez-y les brochettes en les retournant pour bien les enrober.
3. Mixez le potimarron jusqu'à l'obtention d'un velouté et versez-le dans chaque verrine. Servez avec les brochettes..

Cuillères italiennes

POUR 12 CUILLÈRES

PRÉPARATION : 20 min

200 g de ricotta • 4 c. à soupe d'huile d'olive + pour servir • 1 c. à soupe de vinaigre balsamique • 6 tomates cerises • 6 pétales de tomates confites • 2 c. à soupe de pignons • 2 c. à café de parmesan râpé • sel et poivre

1. Dans un bol, mélangez la ricotta avec 4 c. à soupe d'huile d'olive. Salez, poivrez et ajoutez le vinaigre balsamique.
2. Détaillez les tomates cerises et confites en dés de 1 cm de côté. Mettez les pignons à griller dans une poêle antiadhésive.
3. Garnissez les cuillères de la préparation à la ricotta, puis parsemez de dés de tomates cerises et confites, de pignons grillés et de parmesan râpé. Rectifiez l'assaisonnement, si nécessaire, et arrosez chaque cuillère d'un trait d'huile d'olive. Réservez au frais jusqu'au moment de servir.

Crevettes grillées et chantilly au curry

POUR 4 VERRINES

PRÉPARATION : 40 min • **CUISSON :** 8 ou 9 min • **RÉFRIGÉRATION :** 30 min

800 g de grosses crevettes • 1 gousse d'ail • 3 c. à soupe d'huile • 1 pincée de piment en poudre • sel et poivre
Pour la chantilly au curry : 1 cm de gingembre frais pelé et râpé • 10 cl de lait de coco très froid • 10 cl de crème liquide entière très froide • 1 c. à café de curry en poudre • sel et poivre

1. Préparez la chantilly. Faites chauffer à feu doux dans une petite casserole le gingembre avec le lait de coco et chauffez pendant 2 ou 3 min. Laissez refroidir, puis filtrez dans une passoire fine. Mélangez avec la crème, le curry, du sel et du poivre. Versez dans un siphon. Vissez 1 cartouche de gaz et secouez vivement. Mettez 30 min au frais.
2. Décortiquez les crevettes en ne conservant que la queue. Pelez l'ail et hachez-le finement.
3. Dans une poêle, mettez à chauffer l'huile à feu vif, ajoutez les crevettes et faites-les cuire 4 min environ en les remuant plusieurs fois. Salez, poivrez, pimentez, puis ajoutez l'ail et mélangez. Poursuivez la cuisson à feu modéré encore 2 min pour que tout soit bien chaud.
4. Répartissez les crevettes dans des assiettes. Secouez le siphon et déposez dans des verrines la chantilly au curry.

Crème de petits pois

POUR 4 À 6 VERRINES

PRÉPARATION : 30 min • **RÉFRIGÉRATION :** 1 h • **CUISSON :** 20 à 25 min

1 pomme de terre • 1 botte de radis • 1 poireau • 2 c. à soupe d'huile • 300 g de petits pois surgelés • 1 cube de bouillon • 1/2 bouquet de cerfeuil • 10 cl de crème liquide • sel et poivre
Pour la chantilly au foie gras : 60 g de foie gras mi-cuit coupé en dés • 15 cl de crème entière liquide très froide • 1 c. à soupe de vin blanc moelleux • 1 pincée de muscade

1. Préparez la chantilly au foie gras. Mixez le foie gras avec la moitié de la crème, le vin et la muscade. Ajoutez le reste de la crème, salez, poivrez et passez la préparation dans une passoire fine. Versez dans le siphon, vissez 1 cartouche de gaz et secouez vivement. Mettez 1 h au frais.
2. Pelez la pomme de terre, coupez-la en morceaux. Lavez les fanes de radis. Épluchez et émincez le poireau.
3. Dans une cocotte, faites suer le poireau dans l'huile en remuant. Ajoutez les fanes de radis et laissez cuire 1 min. Mettez les pomme de terre et les petits pois, puis émiettez le cube de bouillon. Couvrez d'eau et portez à ébullition. Salez, poivrez, ajoutez quelques pluches de cerfeuil, baissez le feu et laissez mijoter 20 à 25 min, jusqu'à ce que les légumes soient tendres.
4. Mixez en ajoutant le reste de cerfeuil et la crème petit à petit, puis filtrez le tout. Répartissez dans des verrines. Secouez le siphon et déposez dessus de la chantilly. Servez

Taboulé de quinoa aux crevettes

POUR 24 CUILLÈRES

PRÉPARATION : 15 min • **CUISSON :** 10 min • **REPOS :** 2 h

50 g de quinoa • 1 petit concombre • 1 bouquet de menthe • 1 bouquet de persil plat • 1 tomate • 4 c. à soupe d'huile d'olive • le jus de 1 citron • 300 g de petites crevettes roses cuites décortiquées • sel

1. Rincez le quinoa à l'eau fraîche. Portez à ébullition une grande casserole d'eau salée, puis faites cuire le quinoa 5 min. Égouttez-le et réservez.
2. Coupez le concombre en deux dans la longueur. Épépinez-le à l'aide d'une cuillère, puis râpez-le grossièrement. À l'aide d'un couteau, ciselez les feuilles de menthe et de persil plat. Coupez la tomate en deux, puis épépinez-la. Coupez la chair en dés de 1 cm de côté. Dans un saladier, rassemblez le quinoa, les aromates et les légumes. Versez l'huile d'olive et mélangez délicatement le tout. Laissez reposer au moins 2 h.
3. Au moment de servir, ajoutez le jus de citron et salez. Servez le taboulé dans des cuillères, surmonté des crevettes.

Brochettes de poulet mariné et crème de maïs

POUR 6 VERRINES ET 12 BROCHETTES

PRÉPARATION : 20 min • **MARINADE :** 1 h • **CUISSON :** 35 min

Pour la marinade : 1 oignon haché • 2 gousses d'ail hachées • 300 g de blancs de poulet en lanières • 1 c. à soupe de sucre roux • 1 c. à soupe d'huile d'olive • 15 cl de vinaigre de cidre • 15 cl de Worcestershire sauce • 1 c. à soupe de moutarde • 1 c. à soupe de ketchup • 1 c. à café de cumin en poudre
Pour la crème de maïs : 300 g de maïs • 1 oignon émincé • 1 c. à soupe d'huile d'olive • 5 cl de bouillon • 2 c. à soupe de crème fraîche épaisse • poivre

1. Préparez la marinade. Mélangez dans un plat creux tous les ingrédients. Mettez 1 h au frais en retournant le poulet après 30 min.
2. Préparez la crème de maïs. Dans une poêle chaude, versez l'huile, ajoutez l'oignon et laissez-le dorer 5 min environ. Versez le bouillon, incorporez le maïs et laissez mijoter 10 min. Mixez le maïs et l'oignon avec de la crème et du poivre jusqu'à avoir une consistance crémeuse.
3. Trempez des piques en bois 10 min dans de l'eau tiède. Allumez le gril du four. Enfilez chaque lanière de poulet sur une brochette en piquant chaque morceau plusieurs fois sur la longueur. Faites cuire 10 min de chaque côté sous le gril.
4. Garnissez 6 verrines de crème de maïs et de brochettes.

Rémoulade au rosbif et aux petites pousses

POUR 12 VERRINES

PRÉPARATION : 10 min

100 g de rosbif • 250 g de céleri rémoulade prêt à l'emploi • 1 poignée de petites pousses d'alfalfa, de betterave ou de fenouil
Pour la vinaigrette • 4 c. à soupe d'huile de tournesol • 2 c. à soupe de vinaigre de framboise • sel et poivre

1. Découpez le rosbif en lanières. Placez 1 c. à soupe de céleri rémoulade dans chaque verrine, puis disposez par-dessus quelques lanières de rosbif et des petites pousses d'alfalfa, de betterave ou de fenouil.
2. Préparez la vinaigrette. Dans un petit bol, battez au fouet l'huile et le vinaigre, versez la sauce sur les verrines, rectifiez l'assaisonnement et servez frais.

Panna cotta à la courge

POUR 12 VERRINES

PRÉPARATION : 20 min • **RÉFRIGÉRATION :** 3 h • **CUISSON :** 30 min

300 g de courge • 10 g de beurre • 1 c. à café de cardamome en poudre • sel et poivre
Pour la panna cotta : 3 feuilles de gélatine • 30 cl de crème liquide • 40 cl de lait • 3 brins de romarin

1. Préparez la panna cotta. Plongez la gélatine dans un bol d'eau. Dans une casserole, portez à ébullition la crème et le lait avec du sel, du poivre et le romarin. Filtrez la préparation chaude, puis ajoutez la gélatine égouttée. Mélangez bien, rectifiez l'assaisonnement, si nécessaire. Répartissez dans des verrines et réservez au frais au moins 3 h.
2. Épluchez la courge et détaillez-la en dés de 2 cm de côté. Dans une sauteuse, faites fondre le beurre à feu doux, puis faites revenir les dés de courge. Lorsqu'ils commencent à dorer, couvrez d'eau, salez, poivrez, puis laissez mijoter environ 20 min jusqu'à ce que la courge s'écrase facilement à la fourchette. Placez les dés de courge dans le bol d'un robot avec la moitié du jus de cuisson, la cardamome en poudre et mixez le tout jusqu'à obtention d'un coulis onctueux. Si la préparation est trop épaisse, incorporez un peu de jus de cuisson, puis rectifiez l'assaisonnement.
3. Versez le coulis de courge sur la panna cotta et servez sans attendre avec des gressins ou des petites tuiles au parmesan. .

Crevettes & mousse à l'avocat

POUR 4 VERRINES

PRÉPARATION : 35 min • **RÉFRIGÉRATION :** 1 h

1 c. à soupe de vinaigre de cidre • 3 c. à soupe d'huile d'olive • 1 c. à soupe de sauce soja • 1 c. à café de miel • 150 g de crevettes • 1 concombre • 2 pamplemousses • sel et poivre
Pour la mousse : 1 avocat • 1/2 petite échalote • 1/2 citron • 5 c. à soupe de lait • 10 cl de crème liquide entière très froide

1. Préparez la mousse à l'avocat. Prélevez 100 g de pulpe d'avocat. Pelez et émincez l'échalote. Mixez l'avocat avec l'échalote,2 c. à soupe de jus de citron, le lait et du sel. Ajoutez la crème, rectifiez l'assaisonnement et filtrez dans une passoire fine. Versez dans un siphon. Vissez 1 cartouche de gaz et secouez vivement. Mettez 1 h au frais.
2. Préparez la sauce en mélangeant le vinaigre et 1 pincée de sel, puis l'huile d'olive, la sauce soja, le miel et du poivre.
3. Décortiquez les crevettes. Pelez le concombre et coupez-le en fines lamelles. Pelez à vif (en ôtant la peau blanche) les pamplemousses et coupez-les en petits morceaux. Mélangez les crevettes et le concombre avec la sauce. Ajoutez les pamplemousses et remuez délicatement. Disposez la salade dans des coupes et réservez au frais.
4. Secouez le siphon et coiffez chaque coupe d'une belle rosace de mousse à l'avocat. Dégustez aussitôt.

Salade de crabe à la tahitienne

POUR 12 VERRINES

PRÉPARATION : 35 min

1 mangue • 1/2 ananas • 1 noix de coco avec son eau • 1 gros avocat • le jus de 1/2 citron • 1/2 concombre • quelques feuilles de laitue • 1 boîte de chair de crabe
Pour la vinaigrette : 1/4 de botte de coriandre • le jus de 1/2 citron vert • 3 c. à soupe d'huile de tournesol • sel et poivre

1. Épluchez la mangue, puis coupez la chair en dés de 2 cm de côté. Épluchez l'ananas et coupez-le en fines tranches. Cassez la noix de coco en deux et récupérez son eau. Râpez un peu de pulpe fraîche et réservez-la. Coupez l'avocat en deux, puis ôtez le noyau. Retirez la chair à l'aide d'une cuillère, coupez-la en morceaux, puis arrosez-la de jus de citron. Épluchez le concombre et émincez-le finement. Lavez les feuilles de laitue et coupez-les très finement. Égouttez la chair de crabe.
2. Dans un saladier, mélangez délicatement les fruits et les légumes et le crabe.
3. Préparez la vinaigrette. Ciselez finement la coriandre. Mélangez le jus de citron vert, l'eau de la noix de coco, l'huile de tournesol et la coriandre. Salez et poivrez.
4. Répartissez la salade dans des verrines, arrosez de vinaigrette, puis parsemez de noix de coco râpée.

Lentilles bicolores à la truite fumée

POUR 12 CUILLÈRES

PRÉPARATION : 15 min • **CUISSON** : 20 min

4 branches de thym • 2 feuilles de laurier • 65 g de lentilles corail • 65 g de lentilles vertes • 1 c. à soupe d'huile d'olive • 1 c. à soupe d'huile de noix • 1 filet de vinaigre de Xérès • 1/2 c. à café de cumin en poudre • 3 tranches de truite fumée • sel et poivre

1. Portez deux casseroles d'eau à ébullition et déposez dans chacune deux branches de thym et une feuille de laurier. Dans la première, versez les lentilles corail et laissez-les cuire pendant 10 min. Dans la seconde, versez les lentilles vertes et laissez-les cuire pendant 15 à 20 min.
2. Égouttez-les, retirez les herbes, puis passez les lentilles rapidement sous l'eau froide. Réunissez-les dans un saladier, puis assaisonnez-les avec l'huile d'olive, l'huile de noix, le vinaigre et le cumin, puis salez et poivrez.
3. Découpez chaque tranche de truite en 4 lanières. Répartissez les lentilles dans des cuillères. Déposez 1 lanière de truite sur le dessus en prenant soin de la rouler joliment. Rectifiez l'assaisonnement, si nécessaire, puis réservez au frais jusqu'au moment de servir.

Verrines légères à la brousse de brebis

POUR 6 PERSONNES

PRÉPARATION: 20 min • **CUISSON :** 20 min • **RÉFRIGÉRATION :** 4 h

3 c. à soupe d'huile d'olive • 75 g de poivrons mélangés émincés • 75 g de courgettes • 50 g de tomates pelées • 20 g de ciboulette ciselée • 7 feuilles de gélatine • 350 g de brousse • 175 g de yaourt nature • 175 g de crème fraîche épaisse • sel et poivre

1. Dans une sauteuse, faites chauffer l'huile d'olive. Poêlez les légumes encore congelés pendant 10 à 12 min, puis laissez-les refroidir complètement.
2. Mettez la gélatine à ramollir dans un bol d'eau froide. Mixez la brousse avec le yaourt. Faites tiédir la crème fraîche dans une casserole et ajoutez-y, hors du feu, la gélatine égouttée. Mélangez bien. Incorporez la crème tiède au mélange de brousse et de yaourt. Salez, poivrez et ajoutez la ciboulette.
3. Versez la préparation à la brousse dans des verres moyens en les remplissant au premier tiers. Ajoutez une couche de légumes refroidis et déposez à nouveau une couche de préparation à la brousse. Dispersez quelques morceaux de ciboulette sur le dessus et placez au frais pendant 4 h au moins.

Tartare de veau en bouchées aux herbes

POUR 12 CUILLÈRES

PRÉPARATION : 10 min

2 échalotes • 1 bouquet d'herbes fraîches (ciboulette, persil, cerfeuil ou germes de luzerne) • 300 g de veau maigre haché • 1/2 c. à café de curry • 1 c. à café de Worcestershire sauce ou de sauce soja • 1 jaune d'œuf • poivre

1. Épluchez les échalotes et hachez-les très finement. Lavez et épongez les herbes, hachez-les finement au couteau. Coupez les germes avec des ciseaux. Mettez les herbes dans une assiette.

2. Mélangez le veau avec les échalotes et le jaune d'œuf, ajoutez le curry et la sauce, poivrez. Façonnez des petites boulettes de veau à la main, puis roulez-les dans les herbes, et dressez-les dans des cuillères.

Tiramisu aux petits pois

POUR 4 VERRINES

PRÉPARATION : 20 min • **CUISSON** : 10 min

300 g de petits pois • 3 œufs • 60 g de parmesan râpé • 250 g de mascarpone • 1 filet d'huile d'olive • 8 gressins au sésame • 20 g de parmesan en copeaux • sel et poivre

1. Faites bouillir de l'eau salée dans une casserole. Plongez-y les petits pois encore surgelés. Faites-les cuire 7 min à compter de la reprise de l'ébullition.
2. Pendant ce temps, préparez une crème de mascarpone au parmesan. Dans un saladier, cassez les œufs en séparant les blancs des jaunes. Mélangez les jaunes avec le parmesan râpé et le mascarpone, salez et poivrez. Montez les blancs en neige avec 1 pincée de sel et ajoutez-les délicatement à la préparation précédente.
3. Égouttez les petits pois et passez-les sous l'eau froide afin de stopper la cuisson. Salez et poivrez, puis enrobez-les d'un filet d'huile d'olive. Écrasez les gressins au sésame.
4. Dressez les tiramisus dans des grands verres. Au fond de chaque verre, disposez des gressins écrasés, des petits pois puis une couche de crème de mascarpone au parmesan. Terminez par quelques copeaux de parmesan et quelques petits pois pour la décoration.

Mini-brochettes de bacon et olives, crème d'avocat

POUR 12 MINI-BROCHETTES ET VERRINES

PRÉPARATION : 25 min • **RÉFRIGÉRATION** : 1 h

Pour la crème d'avocat : 2 avocats • 2 yaourts à la grecque • 15 cl de crème liquide • le jus de 1 citron
Pour les mini-brochettes • 6 tranches de bacon • 1 avocat • 12 olives violettes dénoyautées • 1 filet d'huile d'olive • 1 c. à café de quatre-épices • sel et poivre

1. Préparez la crème d'avocat. Coupez les avocats en deux, retirez les noyaux et la peau, puis coupez la chair en morceaux. Dans le bol d'un robot, rassemblez les morceaux d'avocat, les yaourts, la crème liquide et le jus de citron. Salez et poivrez, puis mixez le tout jusqu'à obtention d'une crème lisse et homogène. Répartissez-la dans des verrines et réservez au réfrigérateur pendant 1 h.
2. Pendant ce temps, confectionnez les mini-brochettes. Divisez les tranches de bacon en deux. Coupez l'avocat en deux, retirez le noyau et la peau, puis coupez la chair en dés de la taille des olives. Dans une poêle antiadhésive, faites dorer le bacon des deux côtés. Sur des piques en bois, enfilez les olives, les dés d'avocats et les demi-tranches de bacon grillées. Salez, poivrez, arrosez d'huile d'olive, parsemez du quatre-épices et servez ces mini-brochettes accompagnées de la crème d'avocat.

Pois chiches et coriandre, salade de feta

POUR 6 VERRINES

PRÉPARATION : 15 min • **CUISSON :** 2 ou 3 min

Pour la purée de pois chiches : 800 g de pois chiches (en bocal) • 1/2 botte de coriandre • 4 gousses d'ail • le jus de 1 citron jaune • 7 c. à soupe d'huile d'olive
Pour la salade de feta : 4 tiges de ciboule (ou 1/2 botte de ciboulette) • 250 g de feta • 1 c. à soupe d'huile d'olive • poivre
Pour décorer : 20 g d'amandes effilées

1. Préparez la purée de pois chiches. Rincez les pois chiches et égouttez-les. Réservez-les dans le bol du mixeur. Lavez et essorez la coriandre puis ciselez-la finement. Épluchez les gousses d'ail et passez-les au presse-ail. Ajoutez la coriandre ciselée aux pois chiches, l'ail puis le jus de citron jaune et mixez le tout en incorporant au fur et à mesure l'huile d'olive.
2. Préparez la salade de feta. Lavez et épluchez la ciboule. Après l'avoir séchée, émincez-la. Émiettez grossièrement la feta dans un bol, ajoutez la ciboule émincée, l'huile d'olive, du poivre, puis mélangez.
3. Dans une poêle chaude, faites griller à sec les amandes effilées pendant 2 ou 3 min.
4. Dans chaque verrine, déposez la purée de pois chiches, ajoutez la salade de feta et décorez d'amandes grillées.

Crédits photographiques

PHOTOGRAPHIES DES RECETTES

Christian Adam © coll. Larousse (stylisme Catherine Nicolas) : p. 5, 17, 21, 25, 35, 55 ; (stylisme Noëmie André) : p. 49

Fabrice Besse © coll. Larousse (stylisme Noëmie André) : p. 7, 33

Marie-José Jarry © coll. Larousse (stylisme Bérengère Abraham) : p. 9, 13, 15, 19, 27, 39, 45, 47, 51, 53

Olivier Ploton © coll. Larousse (stylisme Bérengère Abraham) : p. 11, 23, 29, 31, 41

Massimo Pessina © coll. Larousse (stylisme Rosalba de Magistris) : p. 2, 37, 43

AUTRES PHOTOGRAPHIES

Caroline Faccioli © coll. Larousse (stylisme Corinne Jausserand) : pages de garde

Textes

Catherine Nicolas : p. 4, 16, 20, 24, 34, 54 – Bérengère Abraham : p. 12 – Noëmie André : p. 48 – Collectif: autres pages.

TABLE DES ÉQUIVALENCES FRANCE – CANADA

Poids	55 g	100 g	150 g	200 g	250 g	300 g	500 g	750 g	1 kg
	2 onces	3,5 onces	5 onces	7 onces	9 onces	11 onces	18 onces	27 onces	36 onces

Ces équivalences permettent de calculer le poids à quelques grammes près (en réalité, 1 once = 28 g).

Capacités	5 cl	10 cl	15 cl	20 cl	25 cl	50 cl	75 cl
	2 onces	3,5 onces	5 onces	7 onces	9 onces	17 onces	26 onces

Pour faciliter la mesure des capacités, une tasse équivaut ici à 25 cl (en réalité, 1 tasse = 8 onces = 23 cl).

Imprimé en Espagne par Graficas Estella, Estella
Dépôt légal : juillet 2010 - 305051/01 - 11011826 1 juin 2010